LLYFR LLIWIO

Owain Glyndŵr

Cyfres Arwyr Cymru—5

Elwyn Ioan
a Lefi Gruffudd

Yn y flwyddyn 1400 roedd Cymru'n wlad dlawd iawn, ac roedd llawer o Gymry'n anhapus am fod Brenin Lloegr yn eu trin yn wael. Un o'r bobl hynny oedd Owain Glyndŵr, dyn pwerus a phwysig oedd yn byw yn Sycharth yng ngogledd Cymru.

Roedd Owain yn filwr dewr ac yn arweinydd cryf, ac roedd ganddo brofiad o ryfela ar ôl bod yn helpu Brenin Lloegr i ymladd yn yr Alban. Ond nawr roedd Owain yn anfodlon gyda'r Brenin am iddo ei drin ef a'i gyd-Gymry'n annheg. Felly, roedd Owain am arwain gwrthryfel er mwyn i Gymru gael rheoli ei hun a chael senedd annibynnol.

Casglodd Owain filwyr at ei gilydd yn ardal Glyndyfrdwy yng ngogledd Cymru ac ymosod ar gestyll a threfi Seisnig, yn cynnwys Rhuthun, Dinbych a Rhuddlan. Arweiniodd ei filwyr gyda baner y Ddraig Goch, a galwodd ar bobl Cymru i gyd i ymuno: "Ymunwch yn y frwydr yn erbyn Brenin Lloegr gyda Gwir Dywysog Cymru."

Tyfodd y gwrthryfel fel tân gwyllt i bob rhan o Gymru, a
llwyddodd Owain i ennill tir yn gyflym iawn. Erbyn 1401
roedd gogledd a chanolbarth Cymru o dan ei reolaeth, ac
yn y flwyddyn honno enillodd ei fyddin frwydr fawr yn erbyn
milwyr Brenin Lloegr yn Hyddgen yn y canolbarth.

Credai llawer fod gan Owain allu dewinol i'w helpu yn y
rhyfel. Un tro daeth milwyr y Brenin i ymosod ar Gymru, a bu
storm enfawr a glaw am wythnosau i'w rhwystro, a'u gadael
yn newynnog ac yn wlyb at eu crwyn. Bu'n rhaid i'r milwyr
ddianc yn ôl i Loegr wedi eu trechu gan y tywydd – neu gan
allu dewinol Owain Glyndŵr!

Erbyn 1404 roedd Owain yn rheoli Cymru gyfan, bron a bod, a llwyddodd i gipio cestyll cryfaf y Saeson yng Nghaernarfon, Aberystwyth a Chonwy.

Yn y flwyddyn honno trefnodd Owain senedd ym Machynlleth, gan ddweud yn hyderus: "Fi yw Tywysog Cymru, a nawr dwi am i bawb yng Nghymru fy nerbyn i fel arweinydd yn lle Brenin Lloegr."

Roedd pobl o Ffrainc, Sbaen a'r Alban yn derbyn Owain fel
Tywysog Cymru erbyn hyn, a dechreuodd feddwl yn hyderus
am gynlluniau ar gyfer y dyfodol. Ymhlith ei syniadau roedd
cael eglwys annibynnol i Gymru a dwy brifysgol newydd
Gymreig.

Gyda phethau'n mynd o'i blaid, ysgrifennodd Owain lythyr at Frenin Ffrainc i ofyn am gymorth yn y rhyfel.

Gan fod Siarl yn casáu Brenin Lloegr, dywedodd:

"Wrth gwrs y cewch chi filwyr, unrhyw beth i roi Brenin Lloegr yn ei le."

Er i Owain ddisgwyl a disgwyl, doedd dim sôn am y milwyr o Ffrainc. Gofidiai na fyddai'n cael cymorth wedi'r cyfan...

Ond, o'r diwedd, cyrhaeddodd y milwyr gan ymuno â'r
Cymry yn Aberdaugleddau i ymladd yn erbyn y Brenin.
Roedd Owain a'i filwyr wrth eu bodd yn eu gweld.

Aeth milwyr Cymru a Ffrainc ar draws de Cymru gan
gipio castell ar ôl castell i Owain Glyndŵr, a chodi ofn ar
Frenin Lloegr.

Ond ar ôl bod yn rheoli y rhan fwyaf o Gymru gwnaeth pethau ddirywio i Owain Glyndŵr ar ôl 1406, gyda milwyr Ffrainc yn dychwelyd adref, a Brenin Lloegr yn gryfach i ymosod unwaith eto ar Gymru. Aeth llawer o Gymru'n wenfflam wrth i filwyr y Brenin ddial ar gefnogwyr Owain, gan losgi trefi cyfan i'r llawr.

Llwyddodd y Brenin i ennill ei gestyll yn ôl yn raddol, ac erbyn 1416 roedd Owain Glyndŵr wedi ei drechu yn llwyr.

Cosbwyd y Cymry am ymuno gyda gwrthryfel Owain Glyndŵr, a bu rhaid i lawer o bobl dalu arian mawr i'r Brenin.

Penderfynodd y Brenin hefyd greu deddfau newydd a oedd yn rhoi llai byth o hawliau i'r Cymry, ac i ofalu na fyddai'r un peth yn gallu digwydd eto.

Ond ni ddaliwyd Owain Glyndŵr ei hun ar ddiwedd y gwrthryfel, a does neb yn gwybod yn iawn beth ddigwyddodd iddo. Hoffai llawer feddwl na fu Owain farw o gwbl, gan obeithio y bydd yn deffro i arwain pobl Cymru i ryddid unwaith eto.

Mwy o lyfrau lliwio o'r Lolfa...

LLIWIA'R ABC (Liz Cole)
LLIWIA'R LLIWIAU (Liz Cole)
LLIWIA'R SIAPIAU (Liz Cole)
LLIWIA'R 123 (Liz Cole)
LLIWIA'R ANIFEILIAID (Tania Morgan)
£1.95 yr un

CYFRES LLIWIO'R MABINOGION
(Elwyn Ioan a Robat Gruffudd)
1. Pwyll a Rhiannon
2. Branwen
3. Blodeuwedd
4. Culhwch ac Olwen
£1.65 yr un

Hefyd ar gael...

POSTER YR WYDDOR (Elwyn Ioan)
POSTER RHIFO (Elwyn Ioan)
£2.45 yr un

CYFRES ICI'R DDÔL (Elwyn Ioan)
1. Ici'r Ddôl a'r Blwch Postio
2. Ici'r Ddôl a'r Jîp Melyn
3. Ici'r Ddôl a'r Cathod Nadolig
4. Ici'r Ddôl a'r Corrach Coch
£3.95 yr un

Gweler y clawr ôl am deitlau'r gyfres hon (Cyfres Arwyr Cymru)

Mae gennym restr hir a diddorol o lyfrau plant GWREIDDIOL i bob oed.
Am fanylion llawn, anfonwch am gopi rhad o'n Catalog lliw-llawn,
neu hwyliwch i'n safle ar y We!

Y Lolfa Cyf., Talybont, Ceredigion SY24 5AP
e-bost ylolfa@ylolfa.com
y We http://www.ylolfa.com
ffôn (01970) 832 304
ffacs 832 782